ANAGRAMMES RENVERSANTES

Des mêmes auteurs

Étienne Klein (extraits)

Conversations avec le Sphinx. Les paradoxes en physique, Paris, Albin Michel, 1991 ; rééd. Le Livre de Poche, 1994.

L'Atome au pied du mur et autres nouvelles, Paris, Le Pommier, 2000 ; nouvelle éd. 2010.

Les Tactiques de Chronos, Paris, Flammarion, 2003 (prix « La science se livre », 2004) ; Flammarion, coll. « Champs », 2004.

Petit Voyage dans le monde des quanta, Paris, Flammarion, coll. « Champs », 2004 (prix Jean Rostand, 2004).

Il était sept fois la révolution. Albert Einstein et les autres…, Paris, Flammarion, 2005 ; rééd. coll. « Champs », 2007.

Le facteur temps ne sonne jamais deux fois, Paris, Flammarion, 2007 ; rééd. coll. « Champs », 2009.

Galilée et les Indiens. Allons-nous liquider la science ?, Paris, Flammarion, 2008.

Discours sur l'origine de l'Univers, Flammarion, 2010.

Jacques Perry-Salkow

Le Pékinois. Petit dictionnaire anagrammatique des célébrités, Seuil, 2007.

Anagrammes. Pour sourire et rêver, Seuil, 2009.

Mots d'amour secrets. 100 lettres à décoder pour amants polissons, avec Frédéric Schmitter, Points-Seuil, 2010.

Étienne Klein
Jacques Perry-Salkow

ANAGRAMMES RENVERSANTES

ou

Le sens caché du monde

Illustrations de Donatien Mary

Flammarion

ISBN : 978-2-0812-7221-7

Anagramme. Nom féminin ; du grec *ana,* « renversement », et *gramma,* « lettre ».

L'anagramme consiste à mélanger les lettres d'un mot, d'une expression, en vue de former un nouveau mot, une nouvelle expression. C'est ainsi que les **tripes** ne sont pas sans **esprit**, les **morues** sans **mœurs**, le **pirate** sans **patrie**, le **sportif** sans **profits** et l'**étreinte** sans **éternité**. Il n'est tenu compte ni des accents ni de la ponctuation.

Dans ce livre, toutes les anagrammes sont signalées par des **caractères gras**.

Dès son origine, l'anagramme fut un moyen d'interroger les noms mais aussi les préceptes des livres sacrés. La kabbale en fit grand usage, prêtant à cet art des vertus révélatrices. Le **monde** pouvait accoucher d'un **démon**. Aux XVIe et XVIIe siècles, ce jeu savant s'immisça dans les cours d'Europe. Entre gens lettrés et courtois, il était de bon ton de trouver dans un nom propre une flatterie délicate ou une maligne satire. Thomas Billon, gentilhomme provençal, fut un fameux anagrammatiste. Il eut de Louis XIII une pension de douze cents livres pour amuser la Cour. Sa gloire dura sans échec jusqu'à ce que le poète Colletet y vînt porter atteinte par une moquerie, tenant « que tous ces renverseurs de noms ont la cervelle renversée ». Hélas, la sienne était trop bien d'aplomb ; l'histoire l'oublia. Galilée, quant à lui, communiquait sous forme d'anagrammes certaines de ses découvertes ; c'était là un moyen de s'assurer la priorité de ses observations tout en les entourant de mystère. Enfin, la coutume s'établit, pour les écrivains et les artistes, de signer leurs œuvres par l'anagramme de leur nom.

Alors, l'anagramme ? Art divinatoire ? Art du compliment ? de la satire ? du secret ? En tout cas, une **fiole** de **folie**, c'est certain.

Étienne Klein
Like nineteen

Perry-Salkow
Workers play

La gravitation universelle

Si cette force de la nature avait été différente de ce qu'elle est, même très légèrement, les processus ayant cours au sein des étoiles en auraient été tout chamboulés. La plupart des atomes qui constituent nos corps ne s'y seraient pas formés et la vie telle que nous la connaissons n'aurait jamais pu émerger.

Loi vitale régnant sur la vie

La vérité

Nul ne peut dire sans se contredire qu'il

est absolument vrai que la vérité est

relative.

Albert Einstein

En physique, on n'est jamais à l'abri d'une révolution. Voire d'une rafale de révolutions. En 1905, un jeune homme d'à peine vingt-six ans montre que la lumière ne peut pas être purement ondulatoire comme on a cru qu'elle était. Il établit un argument décisif en faveur de l'existence jusque-là controversée de l'atome. Repense l'espace et le temps. Découvre $E = mc^2$, c'est-à-dire une relation intime entre la masse d'une particule et son énergie. Dix ans plus tard, le même esprit modifie radicalement la notion de gravitation telle que Newton l'a formulée et fonde la cosmologie moderne. Preuve qu'en matière de lois fondamentales jamais

rien n'est établi.

La madeleine de Proust

Et je me pris soudain à rêver à certaines odeurs et saveurs qui, frêles mais vivaces, demeurent en nous, à attendre, à espérer la « gorgée de thé mêlée des miettes d'un petit morceau de madeleine » qui les fera revivre. Qui sait si ces souvenirs remonteront jamais de leur nuit ? Qui sait de quel breuvage « pris contre notre habitude » sortira

la ronde ailée du temps.

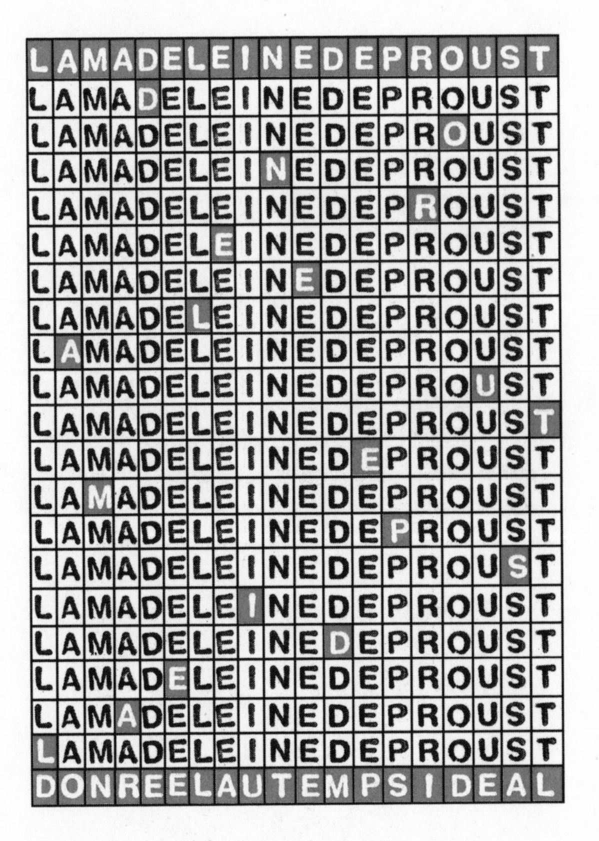
LAMADELEINEDEPROUST
LAMADELEINEDEPROUST
LAMADELEINEDEPROUST
LAMADELEINEDEPROUST
LAMADELEINEDEPROUST
LAMADELEINEDEPROUST
LAMADELEINEDEPROUST
LAMADELEINEDEPROUST
LAMADELEINEDEPROUST
LAMADELEINEDEPROUST
LAMADELEINEDEPROUST
LAMADELEINEDEPROUST
LAMADELEINEDEPROUST
LAMADELEINEDEPROUST
LAMADELEINEDEPROUST
LAMADELEINEDEPROUST
LAMADELEINEDEPROUST
LAMADELEINEDEPROUST
LAMADELEINEDEPROUST
LAMADELEINEDEPROUST
DONREELAUTEMPSIDEAL

La vitesse de la lumière

La vitesse d'une particule dans le vide est toujours comprise entre zéro – la particule est alors immobile – et 299 792 458 m/s, la vitesse de la lumière, qui ne saurait être dépassée sans que cela contredise formellement les équations d'Einstein. Cette constante universelle de la physique

limite les rêves au-delà.

Miguel de Cervantès Saavedra

« Et Sancho allait cheminant et mangeant derrière son maître don Quichotte, très confortablement, et de temps à autre il levait sa gourde avec tant de plaisir que le plus raffiné des gargotiers de Málaga aurait pu l'envier. Et du moment qu'il allait ainsi multipliant les gorgées, il considérait comme de tout repos d'aller à la recherche des aventures, si dangereuses soient-elles », et

de cavaler au vent des mirages.

Le mouvement perpétuel

L'utopie d'un mouvement qui se poursuivrait indéfiniment, sans histoire. D'une mobilité hiératique où la mobilité même serait abolie, équivalent cinématique d'un

temple où rêve un temple.

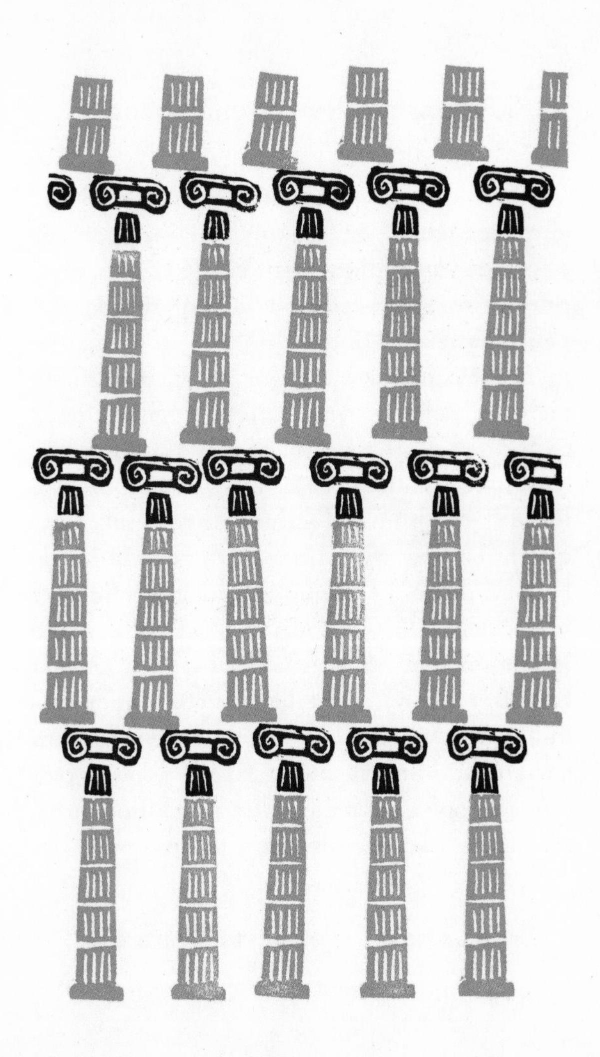

Les paradoxes du chat beurré

Étant donné qu'un chat retombe toujours sur ses pattes et qu'une tartine beurrée s'écrase systématiquement sur le côté beurré, que se passerait-il si on laissait tomber un chat sur le dos duquel on aurait préalablement fixé une tartine beurrée ? Certains spécialistes pensent que le félin lévitera pour éviter de prendre parti ; d'autres parient que le souple quadrupède finira par imposer la loi de sa chute ; d'autres encore clament que la tartine ne saurait enfreindre la loi de l'emmerdement maximum qui lui colle à la peau ; enfin, il y a ceux qui expliquent que le comportement du chat et celui de la tartine sont si fondamentalement contradictoires que, associés l'un à l'autre, ils engendrent un certain nombre de paradoxes. Et, pour peu que l'alcool s'en mêle, leur résolution, toujours hasardeuse, devient vite un

aléa chaud d'experts bourrés.

Léonard de Vinci

La perfection n'appartient qu'à Dieu, vous diront les meilleurs tisserands musulmans. C'est pour cela qu'ils laissent toujours un petit défaut dans leurs œuvres. Léonard, lui, ne l'entend pas de cette oreille. Chaque fois qu'il éprouve une curiosité, un intérêt, ça prend tout de suite les allures d'une folle passion. Plus rien ne compte, il suspend toute autre activité et n'a de cesse d'acquérir la plus grande maîtrise possible de sa nouvelle lubie. « Dites-moi, dites-moi, a-t-on jamais terminé quoi que ce soit ? » consigne-t-il dans ses carnets. Il déteste peindre à fresque, vite, sans repentir. Il se livre à des recherches infinies. Soif d'innover. Besoin de reconnaissance aussi. Beau comme un débauché, doué comme un diable, Léonard est blessé par le mépris où le tient sa ville, Florence. Oh, tous s'accordent à lui trouver du génie, mais à condition qu'il ne fasse pas autre chose que ce pour quoi on lui a passé commande. Du génie, à condition qu'il redevienne mortel !

Le don divin créa.

Le sourire de Monna Lisa

Le soir donna sa lumière.

Les Liaisons dangereuses

L'histoire d'un être, serpent devant l'Éternel, pris au piège de l'amour qu'il voulait feindre. Un moment-clé, lettre XXIII : le vicomte de Valmont voit à travers la serrure sa proie « adorable », Mme de Tourvel, à genoux, baignée de larmes, et priant avec ferveur. Quel dieu ose-t-elle invoquer ? En est-il d'assez puissant contre l'amour ? Et quelle est donc sa faiblesse à lui si, oubliant ses projets, il n'a d'autre plaisir que celui de considérer à loisir l'exemple de la candeur ? Cette nuit-là, Valmont dort mal. Il aperçoit le point du jour, espère que la fraîcheur qui l'accompagne lui amènera le sommeil. Mais il n'est pas de repos possible. Elles se sont refermées sur lui,

les ailes sanguines d'Éros.

Marie de Tourvel

Vérité de l'amour

Leonard Bernstein

L'art de bien sonner

Roméo Montaigu et Juliette Capulet

ROMÉO, *du verger.*

« Adieu.
Je ne perdrai jamais une occasion
De t'envoyer mon salut, cher amour.

JULIETTE

Oh ! penses-tu que nous nous reverrons ? »

ROMÉO

Écoute, je l'imagine, la mort peut tout.

L'origine de l'Univers

L'Univers a émergé d'un lieu mystérieux, disent les récits cosmogoniques, un lieu illimité et fertile, une sorte de tohu-bohu où titubaient la matière, l'espace et le temps. Mais, curieusement, pas la lumière : ce monde avant la lettre baignait dans l'obscurité, jusqu'à ce que la nuit se retire pour laisser place au premier jour. Au commencement,

un vide noir grésille.

Jean-François Champollion, conservateur du département d'égyptologie au musée du Louvre

« Ce n'était plus la simplicité antique. Ce n'était plus la noble gravité des monuments pharaoniques. Rien que la décadence de l'art égyptien sous les Ptolémées. »

Ses travaux terminés à Edfou, Champollion alla reposer ses yeux, fatigués des mauvais hiéroglyphes et des pitoyables sculptures, dans les tombeaux de l'ancienne ville d'Éléthya. Ce samedi 28 février 1829, il fut accueilli par la pluie, qui redoubla pendant la nuit, avec tonnerre et éclairs. L'attendaient, dans un temple de la seconde enceinte, de magnifiques inscriptions en caractères hiératiques, qui ne renfermaient pas, comme on l'avait cru si longtemps, de hautes spéculations philosophiques, mais relataient tout simplement l'histoire du lieu.

À la lueur fauve d'un gros lampion dépoli, et gouvernant mon émoi, je décrypte des cartouches.

La chute des corps

Chacun voit bien que les corps lourds tombent plus vite que les corps légers. Ce constat empirique dicte une loi de la chute des corps apparemment indiscutable. Pourtant, en 1604, un certain Galilée est venu la contester, expliquant qu'à rebours des observations ordinaires tous les corps tombent en réalité de la même façon, avec rigoureusement la même vitesse, quelle que soit leur masse. D'où vient que nous ne voyons pas les choses se dérouler ainsi ? De ce que la gravité n'est pas la seule force en présence dès lors que l'expérience ne se déroule pas dans le vide : s'ajoutent à elle des effets liés à la résistance de l'air, laquelle n'agit pas sur les corps lourds comme elle agit sur les corps légers. Voilà pourquoi les boules de pétanque n'ont justement pas l'air de tomber comme les balles de tennis.

La véritable loi de la chute des corps est

hors du spectacle.

L'Origine du monde,
Gustave Courbet

Peints sans apprêt, un ventre de femme au noir mont de Vénus obombrant l'entrebâillement d'un con rose, un drap blanc froissé, un téton encore tumescent. Tout laisse penser que le modèle vient de faire l'amour. On imagine la belle qui se laisse noyer, molle comme un pantin de son, les membres détendus, brisés. Elle repose, tandis que la foudre admirable s'éloigne d'elle. C'est le naufrage de l'après que Courbet semble avoir mis dans

ce vagin où goutte l'ombre d'un désir.

L'Origine du monde

Religion du Démon

Le marquis de Sade

Parce qu'il poussa l'art d'échauffer le **derme des laquais** jusqu'à l'excès, parce que sa vie ne fut qu'une succession **de drames laïques**, voire **d'aléas merdiques**, parce qu'il foula aux pieds les fleurs infortunées de la vertu et ternit la **laque des damiers** de ses vices prospères, Sade ne s'adresse qu'à des gens capables de l'entendre. Ceux-là le liront sans danger. Ils entreront dans le laboratoire de sa prose pour y

disséquer la dame.

La Sainte Vierge

Visage inaltéré

Le marquis de Sade

Voilà un homme qui sacrifia, plutôt que ses principes ou ses goûts, les plus belles années de sa vie. « Tuez-moi ou prenez-moi comme cela, car je ne changerai pas », écrivit-il à ses censeurs, enfermé dans une tour sous dix-neuf portes de fer. Ils avaient imaginé faire merveille en le réduisant à une « abstinence atroce sur le péché de la chair ». Ils s'étaient trompés : sa tête s'était échauffée et forma des fantômes qui se mirent en marche pour ne plus s'arrêter, chefs-d'œuvre de noirceur absolue. Le marquis

démasqua le désir.

Le duc de Saint-Simon

Mondanités lucides

Le Canard enchaîné

Journal satirique paraissant le mercredi (jour des débats de gamme à l'Assemblée nationale), qui ne se voile pas la farce, contrepète au nez des politiques, boit Allah santé des cathos et, quand la réalité dépasse l'affliction, brandit la

canne de l'anarchie.

Énergie noire

Dans le processus d'expansion de l'Univers, la gravitation, toujours attractive, fait office de frein : elle tend à rapprocher les objets massifs les uns des autres, de sorte que la matière ralentit cette expansion. Toutefois, des mesures récemment effectuées par les astrophysiciens montrent qu'un autre processus s'oppose à elle, jouant le rôle d'accélérateur : une sorte d'antigravité a pris la direction des affaires, obligeant l'Univers à augmenter sans cesse la vitesse de son expansion.

Quel est le moteur de cette accélération cosmique ? Les physiciens sont prudents et se contentent d'évoquer une mystérieuse « énergie noire ». Noire parce qu'ils ne la voient pas directement. Noire aussi parce qu'ils en ignorent la nature. Ils savent cependant que cette énergie ne représente pas moins de 70 % du contenu de l'Univers. Énigmatique, dominante à l'échelle cosmique, l'énergie noire hante l'Univers telle une

reine ignorée.

Madame de Maintenon

8 octobre 1683. Demain, avec l'accord de l'Église, Mme de Maintenon épousera en secret Louis le Quatorzième. Oh, ce n'est pas un rêve ! Elle, Françoise d'Aubigné, née à la prison de Niort, dans la geôle d'un père cousu de dettes, mariée à seize ans au vieux poète Scarron, veuve sans avoir eu d'époux à vingt-quatre, chargée d'élever les enfants royaux, sachant les aimer tout autant qu'inspirer le plaisir qu'il y aurait à être aimé d'elle ; elle, que d'aucuns poursuivent de leur haine, « misérable concubine » aux yeux de la duchesse d'Orléans, « voulant se mêler de toutes les affaires » au dire de M. de Saint-Simon, va devenir femme du plus grand roi de France. Sa réussite est merveilleuse et son bonheur, désormais, éclatant.

« Ma main, on te demande. »

Marie-Antoinette d'Autriche

À Versailles, il n'est pas commode de faire un pas sans que les glaces éblouissantes le sachent. Ici, ni solitude, ni tête-à-tête, ni repos, ni détente. Tout geste, du lever au coucher, est réglé. Or la jeune et fougueuse Marie-Antoinette a horreur de tout contrôle ; à peine est-elle reine qu'elle demande à son accommodant mari un refuge où elle puisse se retirer (non pas pour méditer, mais pour mieux et plus librement se divertir). Complètement isolé et cependant tout près de Versailles, il y a un petit château, un des plus exquis qu'ait jamais inventés le goût français. Louis XV l'avait offert à Mme du Barry. Ce minuscule espace est plus attrayant pour Marie-Antoinette que la France entière avec ses vingt millions de sujets. Car ici elle ne se sent soumise à rien, ni au cérémonial ni à l'étiquette, à peine aux vertus de la politesse. C'est en 1774 que

cette amie hérita du Trianon.

Les Feux de l'amour

Drame sexuel flou

Le docteur Guillotin

« Le couteau tombe, la tête est tranchée à la vitesse du regard, l'homme n'est plus. À peine sent-il un rapide souffle d'air frais sur la nuque. » C'est par ces mots prononcés le 1er décembre 1789, à la tribune de l'Assemblée constituante dont il était député, que le bon docteur Guillotin est entré dans l'histoire. Ce projet lyrique, visant à abréger les souffrances des condamnés, fit bien rire l'assemblée, qui n'imaginait pas qu'un bon nombre de ses membres devraient par la suite apprécier à leur tour la fraîcheur de ce petit courant d'air.

La machine fut d'abord appelée « Louisette », en l'honneur de son véritable inventeur, le docteur Antoine Louis. Mais les journalistes parlementaires prirent un malin plaisir à associer le nom de Guillotin au « rasoir national ». Et c'est ainsi que – en dépit des protestations du médecin – naquit la « guillotine ». L'homme tenta tout au long de sa vie de changer ce nom, en vain. Et, jusque sur son lit de mort,

il en rougit du collet.

Marie-Antoinette d'Autriche

Après l'exécution de Marie-Antoinette, le corps reste au cimetière de la Madeleine, sans sépulture digne de ce nom : une simple fosse, profonde, de façon à ce qu'aucun particulier nostalgique ne puisse creuser en catimini sans être pris sur le vif. La bière est arrosée de chaux vive, comme celle de tous les nobles, puis descendue en terre. Deux témoins notent méticuleusement l'emplacement. Fin de la « cérémonie ». Pas la moindre épitaphe. Rien.

Reine, ta tête a dû choir matin.

Le neutrino stérile

Les neutrinos sont des particules dont l'existence fut prédite par le physicien Wolfgang Pauli en 1930 – vingt-cinq ans avant leur découverte expérimentale ! Êtres fantomatiques, ils n'interagissent que très faiblement, donc très rarement, avec la matière : des centaines de milliards de neutrinos en provenance du Soleil peuvent traverser notre corps à chaque seconde, le jour comme la nuit, sans que nous percevions quoi que ce soit.

Depuis 1955, trois sortes de neutrinos ont été identifiées. Mais tout récemment, les physiciens ont subodoré l'existence d'une quatrième espèce qu'ils qualifient de « stérile ». Ce neutrino semble avoir la propriété de traverser la matière sans jamais y subir le moindre choc, de se propager indéfiniment avec une absolue discrétion, tel un ange. Inlassablement,

il roule et n'est rien.

Aurore Dupin, baronne Dudevant, alias George Sand

Durant l'hiver de 1836, George Sand et Chopin – devenu l'un des hommes les plus convoités de la capitale – se rencontrent pour la première fois, en présence de Liszt et de la comtesse d'Agoult. Chopin est indifférent, et même un peu rebuté. « Qu'elle est antipathique, cette Sand, confie-t-il à un ami. Est-ce vraiment bien une femme ? Je suis prêt à en douter. » De son côté, la romancière murmure : « Ce monsieur Chopin, est-ce une jeune fille ? » Amusant chassé-croisé. Rien ne permet d'augurer leur liaison future. Sauf, peut-être, ce brin d'aversion. Et, tout comme le Paris huppé de son époque, George

valsera d'abord au son du piano d'un génie étranger.

La courbure de l'espace-temps

Grâce aux équations d'Albert Einstein, on sait que la matière déforme l'espace-temps de l'Univers, le courbe, le dilate ou le contracte. En retour, l'espace-temps la fait doucement glisser dans ses propres trames. Nulle frayeur dans ces gestes cosmiques, nul doute, nulle arrière-pensée. Pas non plus de bousculade. Juste le

superbe spectacle de l'amour.

Robert Schumann

« Brahms est venu me voir (un génie) », note Schumann dans son journal intime. Nous sommes en 1853. Robert a quarante-trois ans. Il est au seuil de la folie. Bientôt, il composera les *Chants de l'aube,* ses dernières notes. Puis viendront les hallucinations auditives, le sentiment terrible qu'on « fouille » dans son cerveau, la tentative de suicide… Mais pour l'heure, Schumann n'a d'ouïe que pour le jeune Johannes. Dans un article enthousiaste, « Nouvelles voies », il annonce la venue d'un grand compositeur et pianiste : « Brahms sera une valeur sûre pour donner l'expression la plus élevée et la plus noble aux tendances de notre époque. » Il parle de lui avec ferveur à ses éditeurs Breitkopf & Härtel.

C'est ainsi que celui qui, vingt ans plus tôt, baissa son chapeau devant Mendelssohn « comme devant un maître »

reconnut Brahms.

James Bond, agent secret

Alias	Agent 007
Origine	Royaume-Uni
Genre	Masculin
Employeur	Secret Intelligence Service
Armes	Beretta 6,35 mm, Walther PPK 7,65 mm
Ennemi juré	Ernst Stavro Blofeld, chef du SPECTRE
Boisson	Vodka-Martini mélangée au shaker et non à la cuillère
Partenaires	**Cent jambes gantées d'or**

Jeanne Antoinette Poisson, marquise de Pompadour

« La vie que je mène est terrible, à peine ai-je une minute à moi entre répétitions et représentations », écrit Mme de Pompadour à son amie la comtesse de Lutzelbourg. Car la marquise se donne en spectacle. Elle sait la musique et cent chansons, chante avec toute la gaieté et le goût possibles, joue du clavecin et si bien la comédie que Louis XV, qu'on disait las de sa « sultane favorite », en est plus affolé que jamais. Les représentations ont lieu à Versailles même. Un théâtre de poche qu'elle a fait établir dans la Petite Galerie et dont elle assure la direction artistique et financière, en plus des rôles qu'elle tient et qui lui valent des triomphes. Mais chut ! Une comédie pastorale va commencer. Laissons les habilleuses donner les derniers atours à Galatée, la bergère castillane…

Ainsi attendais-je qu'on poudre et pomponne ma rose.

Nicolas Ferrial

Nicolas Ferrial, alias Triboulet, est le plus célèbre bouffon qu'ait connu la cour de France. Dans les temps renaissants du XVIe siècle, coiffé du capuchon à oreilles d'âne et affublé de la marotte, il dit leur vérité aux puissants, se moque ouvertement des courtisans et appelle François Ier « mon cousin », en toute simplicité. Un jour, le roi le condamne à mort pour moqueries envers la reine et les dames de la cour. Toutefois, l'homme l'ayant bien servi jusque-là, il lui accorde le privilège de choisir la manière dont il va mourir. « Bon sire, je demande à mourir de vieillesse », lui dit Triboulet. Et ainsi fut gracié Nicolas Ferrial, le petit homme comique et laid qui

raille François.

Être ou ne pas être, voilà la question

Il est des formules dont on ne sait pourquoi elles nous hantent. La phrase qui ouvre le monologue de Hamlet est de celles-là. Quel secret nous force à revenir dans un théâtre, à la réentendre ? Quelle comique grimace sous le masque de la tragédie ?

Oui, et la poser n'est que vanité orale.

Invariance relativiste

La vitesse de la lumière, dit la théorie de la relativité restreinte, est une grandeur invariante, c'est-à-dire indépendante de la vitesse de la source d'où provient la lumière.

Un jour de 1905, « année miraculeuse » de la physique,

Einstein arriva, vit cela.

La théorie de la relativité restreinte

Cette théorie élaborée par Albert Einstein rassemble l'espace et le temps sous la coupe d'une entité unique, l'« espace-temps », qui forme la trame de l'Univers, la vaste scène au sein de laquelle se déroulent tous les événements.

Vérifiée même aux plus grandes échelles cosmologiques, elle constitue certainement la révolution la plus spectaculaire de l'histoire de la physique.

Vérité théâtrale et loi intersidérale

Théodore Géricault

En ce mois d'août 1819, une grande composition est la vedette du Salon du Louvre et suscite bien des remous. Qu'y voit-on ? L'effroyable narration d'un désastre contemporain. Naufrage de la raison humaine. Folie d'individus que rien ne relie plus à la société. Figures du désespoir et de l'errance, dans un clair-obscur caravagesque. Et l'immensité d'un monde sans limite perceptible : la mer. L'artiste est un jeune peintre inconnu de vingt-huit ans. On raconte qu'il est installé à Paris, rue des Martyrs, qu'il a échoué au concours du prix de Rome, fréquente la morgue et s'est fait construire un véritable radeau pour réaliser sa toile. La bonne société cancane à fleur de bec. Les classiques disent leur dégoût pour cet « amas de cadavres » – un motif hideux et fort éloigné des conventions. Conventions dont la génération des romantiques républicains se contrefout. Pour ces jeunes artistes révoltés contre les principes exclusifs de l'école académique, Géricault est un héros dans l'art et son radeau ouvre une route nouvelle à la peinture d'histoire.

L'orage déchire tout…

Le Radeau de la Méduse

Nous étions cent cinquante marins et soldats à nous être entassés sur un radeau de fortune long de vingt mètres et large de sept. Autant de kilomètres nous séparaient de la côte mauritanienne. Le plan d'évacuation de *La Méduse* prévoyait le remorquage du radeau par les chaloupes des officiers. Mais ces derniers, après quelques moments de navigation, ont tranché l'amarre, nous abandonnant volontairement à notre triste sort. La peste soit de l'infâme et incompétent commandant Duroy de Chaumareys ! Notre calvaire pouvait commencer. Faim, soif, bagarres, accès de folie, suicides. Ne pouvant se satisfaire de mâcher le cuir des baudriers et des chapeaux, on en vint à manger des morceaux de cadavre, qu'on avait mis à sécher pour surmonter le dégoût. En quelques jours notre petite société s'est transformée en une horde d'une sauvagerie sans égale. Nous avons dérivé pendant douze jours. Puis, au matin du treizième, nous avons aperçu une voile. « Navire sur nous ! » Nous n'étions plus que quinze extravagants tendus vers ce simple point, parvenus

au-delà de la démesure.

Resident Evil

Dense et viril

L'entreprise Total Fina Elf

Spleen et littoral raffiné

Entreprise Monsanto

Voilà une firme qu'elle est bonne, comme firme. Et pourquoi elle est bonne ? Parce qu'elle vous veut du bien ! Alors vous avez par exemple la dioxine TCDD. La dioxine, si vous voulez, c'est une substance on était vachement bien tant que ça existait pas, on s'est dit bon, on va quand même la fabriquer pour voir, et puis pendant qu'on y est on va en faire de plusieurs sortes, et donc, en bref, la plus balèze c'est la TCDD, la « tétrachloro-p-dibenzodioxine », rien que de prononcer le nom le gars il est déjà pris de nausées, de maux de tête et d'éruptions cutanées virulentes. Alors attends ! Qu'est-ce qu'il y a d'autre encore ? Il y a l'agent orange. Alors l'agent orange c'est un désherbant utilisé par l'armée américaine pour la défoliation de la jungle vietnamienne durant la guerre. Non, parce que, si vous voulez, les paysans là-bas, ils avaient que des bêches et des vieux couteaux de cuisine pour désherber des milliers d'hectares, c'était pas humain, les marines sont allés leur donner un coup de main. Alors qu'est-ce que vous avez d'autre encore ? Vous avez ce qu'on appelle les hormones de croissance bovine. C'est un truc qu'on injecte dans les vaches qui sont un peu molles des mamelles, voyez, comme ça on peut les traire jusqu'au trognon. Vous avez l'herbicide total Roundup qui « laisse le sol propre », propre de quoi, on sait pas. Les PCB, excellents polluants, qui se dégradent lentement dans le sol, entre 94 jours et 2 700 ans selon les molécules, mais bon, c'est vrai que d'ici là on aura bouffé les pissenlits par la racine. Enfin bref, toute une gamme de produits super-respectueurs de l'environnement. Bientôt, ils porteront tous la mention

Poison très rémanent.

Nanoparticule

Le nanomonde qui s'annonce angoisse et interroge. Les nanotechnologies ne vont-elles pas modifier nos corps, notre environnement, nos relations avec autrui ? Qu'en est-il de l'éventuelle toxicité des nanoparticules ? N'allons-nous pas transgresser les limites de la condition humaine ? Qu'est-ce qui, dans l'homme, doit être considéré comme sacré ou intangible ? Qu'est-ce qui, au contraire, peut être techniquement amélioré ou complété ?

À l'aube d'une humanité modifiée, toutes sortes de réponses se font entendre, qui oscillent entre technophilie béate et

parano inculte.

André Le Nôtre

Un mois avant la mort de Le Nôtre, Louis XIV, qui aimait le voir et le faire parler, le mena dans ses jardins de Versailles et, à cause de son grand âge, le fit asseoir dans une chaise que des porteurs roulaient à côté de la sienne. Le Nôtre alors s'écria : « Mon pauvre père, si tu vivais et que tu pusses voir un pauvre jardinier comme moi, ton fils, se promener en chaise à côté du plus grand roi du monde, rien ne manquerait à ma joie ! »

Jean Le Nôtre, lui aussi jardinier et fils de jardinier, verrait par la même occasion le plus beau des jardins à la française – mille hectares, quarante-deux kilomètres d'allées, trois cent soixante-douze statues, cinquante-cinq bassins et six cents jets d'eau ! Et il dirait à son fils dans un soupir admiratif :

— À ceux qui la cultivent,

la terre donne.

Qu'est-ce que la Terre devant ces vallées supérieures de pétillement d'étoiles ?

Notre planète est un petit objet perdu dans l'immensité de la Voie lactée, elle-même égarée dans un univers bien plus vaste qu'elle. Et lorsque au milieu de la nuit nous levons les yeux vers le ciel, nous sommes sidérés, avant d'être assaillis de questions : d'où provient le monde ? A-t-il jamais commencé ? Certains physiciens expliquent qu'avant toute chose il y avait le « vide quantique », qui n'est pas un néant où rien ne se passe mais un océan rempli de particules en sommeil, capables, dans certaines circonstances, d'accéder à l'existence. Tout serait parti de là, avancent ces argonautes de l'esprit, de cette matière en hibernation ontologique.

Le vide quantique est et reste la source réelle de l'espace-temps et de l'Univers.

Antoine de Saint-Exupéry

« S'il vous plaît... Dessine-moi un mouton !
— Hein !
— Dessine-moi un mouton...

J'ai sauté sur mes pieds comme si j'avais été frappé par la foudre. J'ai bien frotté mes yeux. J'ai bien regardé. Et j'ai vu un petit bonhomme tout à fait extraordinaire qui me considérait gravement. N'oubliez pas que je me trouvais à mille milles de toute région habitée. » Tout comme moi, ce petit prince, ce

doux sire y était en panne.

Le facteur temps

Il est ici, et il est là, secret, silencieux, constamment à l'œuvre. Dans cette feuille qui tombe, cet enfant qui naît, ce mur qui s'écaille, cette bougie d'anniversaire qu'on souffle, cet amour qui pâlit, cet autre qui commence. Le temps est en nous, et alentour, et de nos vies

c'est l'âpre fumet
et c'est le parfum.

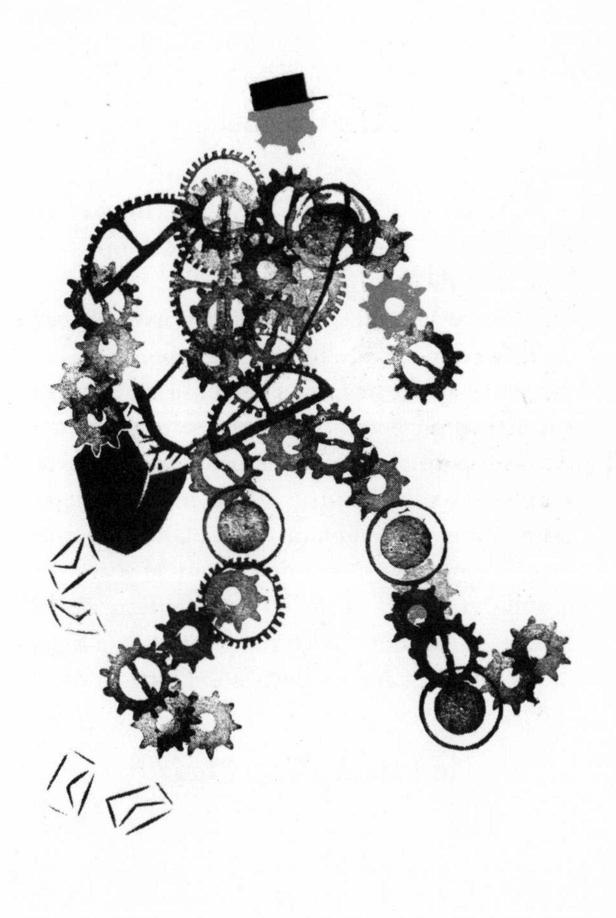

Charles Baudelaire

Aux murs de l'hôtel Pimodan, un papier à énormes ramages rouge et noir, où flambent de sombres ors. Par les vitres, on voit couler la Seine, large et profonde autour de l'île Saint-Louis. Devant une fenêtre, une immense table de noyer plein. Là, Charles est bien pour écrire. Une plume d'oie fichée dans un petit encrier, quelques volumes rares et précieux d'auteurs latins ou d'anciens poètes, magnifiquement reliés. Une pipe qui fume comme la chaumine, dont le « réseau mobile et bleu » se mêle à la **chaleur de la braise**. C'est tout. Là comme partout, le logis dit l'homme. Charles écrit ses *Fleurs du mal,*

le labeur de sa chair.

Et les particules élémentaires

tissèrent l'espace et la lumière.

L'île Saint-Louis

Havre fétiche, qu'un poète surréaliste baptisa le « pubis de Paris », tout enserré qu'il est par les cuisses de la Seine, avec ses **hôtels particuliers**, son église où **le Christ pâle sourit** aux anges, avec son théâtre confidentiel où, dans l'ombre du **prince des nuées**, se disent les **cris d'une pensée**, avec, enfin, son petit square Barye léché comme une glace Berthillon par la coulée colossale de la Seine, l'île est

un taillis isolé.

Saint-Germain-des-Prés

Comme dit la chanson de Béart, il n'y a plus d'après à Saint-Germain-des-Prés. Plus d'après-demain, plus d'après-midi. Les zazous sont partis swinguer je ne sais où. La nuit s'ennuie au Tabou. **Boris Vian** s'est arraché le cœur. Pauvre **Bison ravi** ! Sa trompette, à sons perdus, faisait danser les petits

matins nègres de Paris.

Le Sacre du printemps

« Ce fut comme si la salle du Théâtre des Champs-Élysées avait été soulevée par un tremblement de terre. Elle semblait vaciller dans le tumulte. Des hurlements, des injures, des hululements, des sifflets soutenus qui dominaient la musique, et puis des gifles, voire des coups », écrivit le peintre Valentine Cross-Hugo.

C'était la première représentation du *Sacre,* au printemps 1913. Igor Stravinsky délivrait un chant nouveau, **empli de purs nectars**, une espèce de martèlement primitif, scansion d'agrégations sonores, coups de hache qui tombent en masses énormes et verticales, rite sacrificiel païen où l'orchestre semble piétiner avec extase les dernières pierres angulaires du vieux monde musical.

Cris d'un temple épars

La théorie des supercordes

Il n'y aurait pas mille et une sortes de particules élémentaires dans l'Univers, il n'y en aurait qu'une, dit la théorie des supercordes. Cette particule fondamentale serait une corde vibrante, analogue à celle d'un violon, dont les harmoniques – ses différents modes de vibration – constitueraient toutes les particules, connues et inconnues. À telle fréquence correspondrait un électron ; à telle autre, un neutrino ; à telle autre encore, un quark, etc.

Ainsi, le fond de la matière vibrerait telle cette cacophonie plaisante qui monte de la fosse avant le lever de rideau, grande œuvre incompréhensible et belle, jouée par un philharmonique fantôme et infini.

De la poussière d'orchestre

Le Douanier Rousseau

Lorsque Henri Rousseau entre dans les serres du Jardin des Plantes et qu'il voit les étranges plantes des pays exotiques, il lui semble entrer dans un rêve. Il n'a fréquenté aucune école d'art, n'a jamais voyagé ni vu de vraies forêts vierges. À l'octroi de Paris, il occupe le poste de « gardien des contrôles et des circulations du vin et de l'alcool », d'où ce surnom de « Douanier ». À cette époque, il ne consacre à son art que ses heures de loisir. Un peintre du dimanche, diraient certains. Rien ne le rend plus heureux que de sortir dans la campagne et de peindre ce qu'il voit : un gitan endormi, une carriole, les berges de la Bièvre, des pêcheurs à la ligne, une cascade,

un oiseau dès l'aurore.

Pierre de Fermat

Quoique Fermat signifiât « tenancier d'une ferme », cette étymologie n'étant pas prescriptive, Pierre choisit d'exercer la profession de magistrat, à Bordeaux puis à Castres. Toutefois, il consacra presque toute son énergie à ses deux véritables passions, les mathématiques et la physique. On lui doit notamment le fameux principe selon lequel « la nature agit toujours par les voies les plus courtes et les plus simples ». Cet esprit brillant aurait pu se contenter de plaider, défendre, intercéder… Que voulez-vous ! Il

préféra méditer.

Casanova de Seingalt

Dans cette seconde moitié du XVIIIe siècle, Venise est une ville policière qui vit au rythme des dénonciations jetées dans des boîtes publiques, les « bouches de lions ». Ainsi renseignés, des inquisiteurs d'État ordonnent une enquête à l'encontre de Casanova. Des rapports sont établis. Comme Giacomo se moque de tout ce qui touche à la religion, on lui attribue des actes d'impiété, d'impudeur, de lascivité, de volupté, ce qui suffit à le faire enfermer aux Plombs, la prison d'État qui jouxte le palais du doge. Sa cellule est située sous les toits recouverts de plaques de plomb, à l'endroit où il fait le plus froid l'hiver et le plus brûlant l'été. Personne ne pourrait penser s'échapper de ce caveau infernal. De mémoire d'homme, le fait n'a jamais eu lieu. L'aube du 1er novembre 1756 apportera le plus gracieux des démentis.

Cas d'évasion galante

La disparition de Majorana

Le 26 mars 1938, à l'âge de trente et un ans, Ettore Majorana, physicien de génie et collaborateur d'Enrico Fermi, disparaissait entre Naples et Palerme dans des conditions mystérieuses. Son corps n'a jamais été retrouvé.

La physique théorique était pour lui ce que la musique fut pour Mozart ou ce que la respiration est pour tout un chacun : une fonction naturelle. Ce jeune homme calculait comme le rossignol chante, et ses travaux prophétiques continuent d'inspirer les physiciens. Mais il lui manquait une sorte de pragmatisme ordinaire, sans lequel la vie quotidienne peut facilement tourner au désastre.

Que cette sorte d'Alceste de l'ère atomique naissante ait voulu se « tirer du commerce des hommes » est une hypothèse envisageable. Mais pour fuir dans quel désert ? On pourrait imaginer que, à l'issue d'un calcul d'une audace et d'une complexité effroyables, Majorana ait trouvé le moyen de rejoindre un univers parallèle.

J'adorai la dimension à part.

Le général
comte Antoine Charles Louis Lasalle

« Tout hussard qui n'est pas mort à trente ans est un jean-foutre », disait le général Lasalle, le plus fameux des hussards de l'Empire. Il mourut à l'âge de trente-quatre ans, tué à la bataille de Wagram (1809) alors qu'il poursuivait seul l'ennemi en fuite.

On a lancé la charge.
Il est mort en selle, au soleil.

Jean-François de Galaup, comte de La Pérouse

Île de Vanikoro, au large des Salomon, an de grâce 1788. Nuit obscure et vent violent de sud-est. Les bâtiments de l'expédition autour du monde, commandés par le capitaine de vaisseau La Pérouse, viennent de heurter des récifs « taillés à pic ». Dans sa cabine, le navigateur rédige à la hâte son carnet de bord, et ce malgré la demande qui lui est faite instamment par le lieutenant de Clonard d'embarquer dans une chaloupe. La Pérouse finit par ordonner à son second de ne pas l'attendre et d'aller devant. Une fois seul, dans l'énorme bruit des membrures à l'agonie, il note :

J'ai peur de l'océan.
Au fond, la grâce s'estompe.

Le commandant Cousteau

On dit qu'enfant il explorait déjà la vase des étangs. Plus tard, à bord de la *Calypso*, il fit maints voyages dont le but était le fin fond des mers, au bout du bout de la couleur bleue. Dans une gerbe de bulles cristallines, l'homme au bonnet rouge nous fit découvrir les fantaisies ravissantes ou ignobles avec lesquelles les animaux des grands fonds, à longs et lents coups de reins, poursuivent dans la pénombre la tâche inlassable de survivre.

D'où lui vint cette fascination pour les abysses ? De la simple conviction que

tout commença dans l'eau.

Le triangle des Bermudes

Le bruit des gens de la mer

L'aiguille Verte

Il y a toujours un moment où l'alpiniste grimpant vers ce sommet phosphorescent doit serrer les dents : un vent glacé, miaulant, vient soudain mordre son visage et engourdir ses doigts ; la raideur de la pente, combinée avec l'altitude, emballe brusquement son rythme cardiaque. Mais sitôt qu'il lève la tête vers son but, le grimpeur est transporté par une force antigravitationnelle qui dope ses mollets et regonfle ses poumons : là-haut, dans le jour naissant,

le glaive rutile.

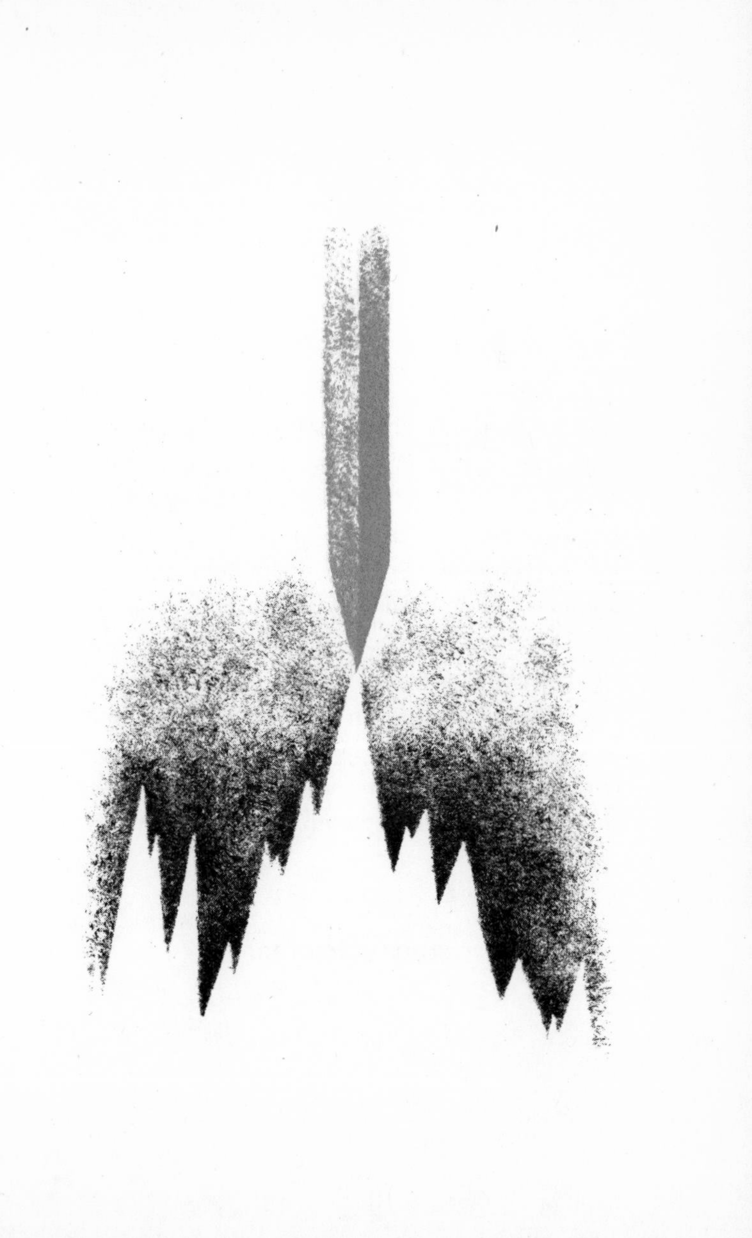

Les trous noirs

Les trous noirs sont des objets si denses que le champ de gravitation qu'ils engendrent empêche la lumière de s'en échapper. Tout ce qui passe à leur portée semble disparaître comme dans un trou sans fond. La théorie de la relativité générale d'Einstein parvient à interpréter en termes de courbure de l'espace-temps certaines propriétés de ces êtres infatigablement voraces. Mais la messe n'est pas dite pour autant : on ne connaît pas leur structure intime, ni la loi qui conduit leur évolution, ni leur destin ultime. Une fois repus de matière, que deviennent-ils ? Au fond, les trous noirs

sont irrésolus.

Le massif des Écrins

Tout ce qu'il faut pour aimanter l'imaginaire des alpinistes : des pointes et des à-pic, des glaciers et des arêtes, des légendes et des tragédies, des héros aussi.

Les défis sans merci

Le président Barack Hussein Obama

Ce 1er décembre 1955, Rosa Parks, couturière de son état, est assise dans la zone centrale d'un bus de Montgomery (Alabama) et refuse d'obéir au chauffeur James Blake qui lui intime l'ordre de laisser sa place à un Blanc. (À cette époque, la règle locale est simple. Les Noirs, qui représentent trois quarts des usagers, doivent s'asseoir à l'arrière du bus. Ils achètent leur billet à l'avant, mais doivent ressortir et remonter par la porte arrière.) Ce n'est pas la première fois qu'elle a des ennuis avec ce conducteur. Un jour, elle a été expulsée pour n'avoir pas voulu « faire le tour ». À présent, l'homme va plus loin : il la menace de la faire arrêter. Rosa décide néanmoins de ne pas céder. Furieux, le chauffeur descend de l'autobus, puis revient avec deux policiers qui embarquent la femme au poste. Sans le savoir, Blake vient de donner une impulsion décisive au mouvement des droits civiques qui, cinquante-trois ans plus tard, permettra à un Obama d'être élu président des États-Unis. Une victoire dédiée

à Rosa Parks, à ce bien humble destin.

Les orbites célestes

À ce jour, les astronomes ont recensé plus de cinq cents exoplanètes. Armés de télescopes et de patience, ils cherchent à identifier celles qui ressemblent à la Terre et pourraient héberger une vie comparable à la nôtre. Comparable ou, pourquoi pas, meilleure. Qu'est-ce qui empêche d'imaginer que ces orbites célestes abritent des êtres plus élégants et plus avancés que nous, plus sages aussi, formant, loin de notre système solaire, de

très belles sociétés... ?

Réaction en chaîne

On fume une première cigarette, une seconde, la deuxième en fait, puis une troisième, et une autre encore. Chaque inhalation exige la réitération de la même série de gestes. L'assuétude tabagique est une maîtresse voluptueuse et ses volutes bleuâtres nous font succomber aux charmes de la

nicotine acharnée.

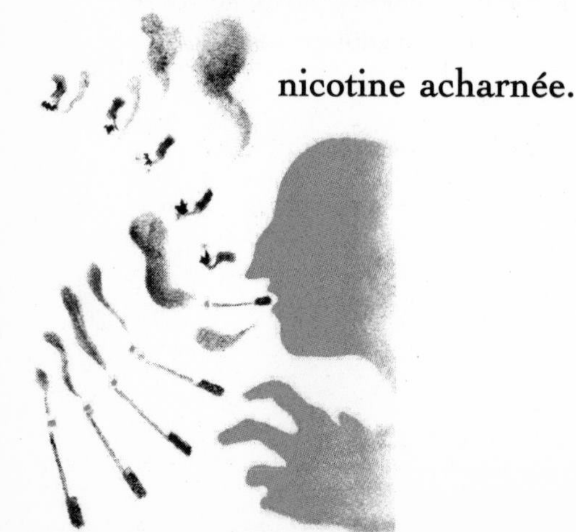

Hôtel des ventes de Drouot

– Le numéro 35. Pour cette peinture de Boldini, qui date de 1898, nous commencerons à deux cent mille euros... Trois cent mille, nous sommes... Qui dit mieux ? Un million, nous sommes... Un million sept cent mille à droite... C'est vraiment terminé au téléphone ? Un million sept cent mille... L'enchère est devant moi à un million sept cent mille... Adjugé ! Numéro 36. Dans les instants qui viennent, nous allons vendre

un lot de vestes d'Hérodote...

Louis de Funès

Liesse d'un fou

La quadrature du cercle

Calcul rare du détraqué

Vercingétorix, roi des Gaules

Et Vercingétorix fit retraite dans Alésia avec ses quatre-vingt mille hommes. Réduit à la famine, il dut capituler après deux mois de siège et vint rendre lui-même ses armes à César : « Je suis brave, mais tu es plus brave encore, et tu m'as vaincu. »

Digne vers toi, glorieux César.

Collisionneur d'électrons

Le vide des physiciens, loin d'être tout à fait vide, constitue une espèce de marigot quantique dans lequel pataugent toutes sortes de particules dépourvues de vitalité. Ces particules sont si avachies qu'on les qualifie de « virtuelles ». On les étudie à l'aide de collisionneurs d'électrons capables de leur fournir l'énergie qui leur manquait pour entrer de plain-pied dans l'existence. Longs de plusieurs kilomètres, ces appareils sophistiqués ont permis de faire des découvertes de taille dans le monde de l'infiniment petit. Il a été établi que les parties tête n'y sont pas aussi développées que les parties cul, que les champs quantiques ne sont pas cultivés et que l'ignorance est carrément encyclopédique dans la jungle des objets élémentaires : les quarks méprisent la littérature, les photons militent pour l'obscurantisme, les électrons font à tout bout de champ des fautes de syntaxe, les neutrinos ignorent la règle de trois, le boson de Higgs, le chat de Schrödinger, les moutons de Panurge et même

les crocodiles n'ont rien lu.

Louis de Broglie

Ce physicien original fut l'un des pères fondateurs de la physique quantique. En 1929, il reçut le prix Nobel de physique pour sa « découverte de la nature ondulatoire de l'électron ». Aristocrate, il comptait d'illustres ancêtres. Toujours tiré à quatre épingles, familier de la redingote, il porta longtemps le titre de prince de Broglie, puis, à la mort de son frère aîné, celui de duc. Sa démarche était si élégante qu'on lui prêtait même des

guibolles de roi.

Claudie Haigneré

Voilà une femme, bachelière dès l'âge de quinze ans, qui aurait pu se contenter d'être belle comme un rêve de pierre à la Baudelaire. Non, il lui fallait les diplômes acquis à la vitesse d'une fusée, la recherche, les nouvelles technologies, les Affaires européennes. Il lui fallait aussi la Cité des étoiles et voler à bord de la station Mir. Ah, mesdames et messieurs de la communauté scientifique ! Qu'attendez-vous pour créer

la chaire du génie !

Claude Lévi-Strauss

En somme, tout va pour le mieux dans le meilleur des mondes : le marquis de Sade **démasqua le désir**, l'amiral Nelson **sillonna la mer**, Robert Schumann **reconnut Brahms** et Claude Lévi-Strauss

a des avis culturels.

L'accélérateur de particules

éclipsera l'éclat du Créateur.

La crise économique

Le scénario comique

Les agences de notation…

et la cognée des nations

Étienne et Jacques

Au terme de cet ouvrage, il nous reste une question :

Et qui est-ce, Jeanne ?

Et pour le clin d'œil…

Les éditions Flammarion

L'arôme des mots à l'infini

Table des anagrammes

CARTE BANCAIRE EMV

A0000000421010
CB
LE 05/12/11 A 12:56:04
LES BLES D OR
69LYON 7EME
4272591
------------152754751-
BC79AC66C12093D0
fin --/--/--
002 000035 48 C
MONTANT :
6,40EUR
Pour information :
41,98 FRF
DEBIT
MERCI
TICKET CLIENT
A CONSERVER

Achevé d'imprimer en décembre 2011
par Normandie Roto Impression s.a.s., 61250 Lonrai
N° d'impression : 114711
N° d'édition : L.01EHBN000514.A006
Dépôt légal : novembre 2011

Imprimé en France